U0031655

菁英學院

DANS LA COUR DES GRANDS

陳筱涵　STELLINA CHEN　　詹文碩 譯

馬卡龍
法國

查理媽寶
英國

喬老拜
美國

習大大
中國

普廷沙皇
俄羅斯

甜瓜尼
義大利

嘴砲川普
美國

奧天阿夫
德國

民主小英
臺灣

勇者小澤
烏克蘭

韓流悅
南韓

岸田小雄
日本

金泡菜
北韓

馬斯克
SpaceX

元祖克柏
臉書

波索老大
巴西

穆拉
阿富汗

大阿亞圖拉
伊朗

艾爾段段
土耳其

火爆莫迪
印度

我叫 Lia，我十歲。這是我們學校發生的事。

你可能會覺得很好笑，也可能不會。

也或許會讓你想起一些什麼。

有一天，因為一個很壞的病毒，我們學校突然關門。然後，終於有天又開門了。

開學了，我們班導聯國老師，在校門口重新迎接所有人。

他說跟往年一樣，今年也要選出一位班代。

這下大家都開始起鬨，「選班代！選班代！」，因為每個人都想選。

只有本來的班代喬老拜高興不起來，因為他想要繼續當下去。

反觀習大大和普廷沙皇卻一副摩拳擦掌，竊竊私語的樣子。

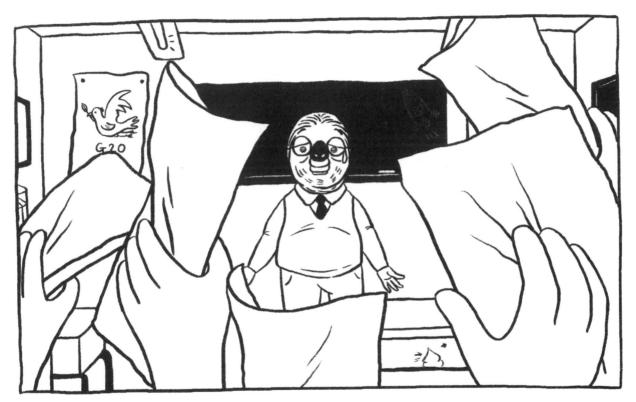

隔天，大家果然都準備好了自己的競選海報。

嘴砲川普每次都遲到，只好天天翻牆，還差一點來不及登記參選。

下課時間，喬老拜在拉票。我是不知道他做了什麼承諾，不過，這三位同學看起來很滿意。

習大大正在偷窺監視他們。他最愛的就是監視其他人。

……不過窺見的景象卻不是他喜歡的。

畢竟習大大跟喬老拜的感情不好。他們倆總是為了民主小英吵來吵去。

至於金泡菜，他只對一種東西有興趣：會爆炸的那種。

這也是為什麼岸田小雄跟韓流悅不太喜歡他。

中午了。午餐時間到！

有時候，我們會交換食物。但普廷沙皇總是喜歡偷拿別人的份。

這下可惹惱了勇者小澤，於是他警告普廷沙皇：「你給我小心點！從現在開始，不准你碰我的便當，聽到了沒有，不准碰！」

就這樣大夥瘋狂打鬧了起來，槍林彈雨瞬間爆發。所有人都打起所有人。

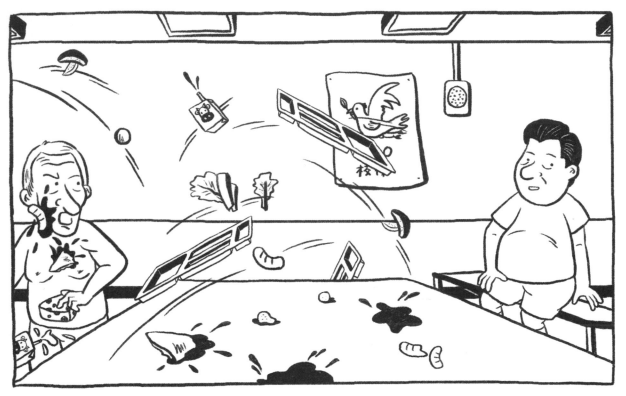

不過，說所有人都參戰其實並不正確。等到普廷沙皇要求習大大助他一臂之力，這才發現「沒有界線」的友誼，其實還是有界限的。

全班打得昏天暗地，我到現在都還記得那天吃的水果是西瓜。

天氣真的越來越熱。就連外面的小鳥也在抱怨。「實在熱得受不了了」「你不知道嗎?是因為那個新來的,綽號叫做聖嬰的傢伙」。

聯國老師正試著向我們解釋全球暖化。

可是嘴砲川普卻站在椅子上大吵大鬧，說這一切都是假新聞。

*2023 年，馬克宏政府為了通過退休制度改革方案，動用法國憲法 49.3 條款，在未經國會投票的情況下強行推動立法。

馬卡龍總是想當模範生，所以他拿出課本開始念：「溫室效應氣體會讓氣溫上升。所以我根據第49.3*號法規宣布，所有人都應該盡量減少放屁」。

大家顯然不同意馬卡龍的説法。只有喬老拜為了選票，想討好馬卡龍。其他人都故意拼命放屁。

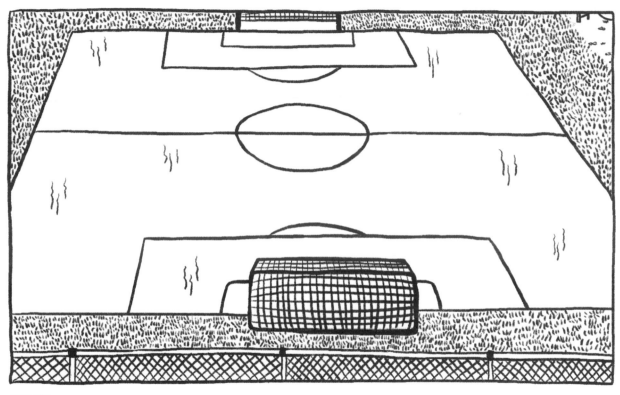

體育課。

聯國老師要求大家組成兩隊。

艾爾段段跟勇者小澤想要跟馬卡龍、奧天阿夫和甜瓜尼一隊。

突然間，有人把球踢到勇者小澤的頭上。

這當然是普廷沙皇下的手。所以馬卡龍立即叫他住手。說真的，馬實在管很大。

這時，一旁的喬老拜也在組隊。

但最後沒有人踢到球。因為比賽還沒開始，大家就為了誰先拿球打了起來。

就連球最後也不見了。不知道是誰幹的好事！

自然課。老師要我們製作一個火山模型。

大家聽到這題目都很興奮。

沒有人覺得奇怪為什麼要做火山。大概每個人都有各自想要做火山的理由吧⋯⋯

尤其是普廷沙皇，特別愛按按鈕。沒有人知道他什麼時候會真的按下去。

最後，雖然大家都盡力了，但實驗卻不怎麼成功。

趁著大家不注意，元祖克柏又翻牆翹課。真不知道他又想幹嘛？

回到教室，聯國老師帶來了班代選舉的投票箱。每一位候選人也都發表了自己的政見。

馬卡龍盡力說服大家接受延長上課時間，但班上最後還是沒有人願意每天晚 20 分鐘下課。

普廷沙皇威脅要用橡皮筋射所有不投他的人。不過，勇者小澤完全沒有理他或怕他。

喬老拜在走廊上到處奔走拉票，希望大家繼續支持他。不管結果怎樣，他真的盡力了。

突然間，他摔了個四腳朝天。誰叫他不聽老師說的話：「不要在走廊奔跑！」

元祖克柏在校門口擺了很多海報，然後開始靜坐。不過，沒人知道他到底支持誰。

下課時間。有些同學喜歡玩牌。喬老拜常常占上風。

不過，今天喬老拜肚子痛一直跑廁所。

聯國老師的辦公室黑漆漆的。

只見嘴砲川普偷偷走進老師辦公室。

「看我怎樣用我的小手手做票！」不巧的是過程中，他不小心按到了全校廣播鍵。

於是全校都聽到了他做的壞事。

就連廁所裡也聽得到。

聯國老師非常生氣，就把他抓到校長室前面，跟其他幾位同學一起等著被罵。

說到廁所，學校的實在不太乾淨。

有時連衛生紙也沒有。

選舉結果呢？「大家都投完票，可以開票了」，聯國老師説著去辦公室找投票箱。

只可惜計畫趕不上變化！

首先是有人又闖進聯國老師的辦公室。

元祖克柏用直播揭發了他們的勾當。

於是大家又在自然教室鬧成一團。

講到這，故事已經接近尾聲。

這就是我們學校的故事，一間平凡學校的故事。

你可能會覺得很好笑。

也可能不會。

也或許會讓你想起一些什麼。

我是 Lia*，我十歲。現在你們沒得選了，我才是班代，嘻。

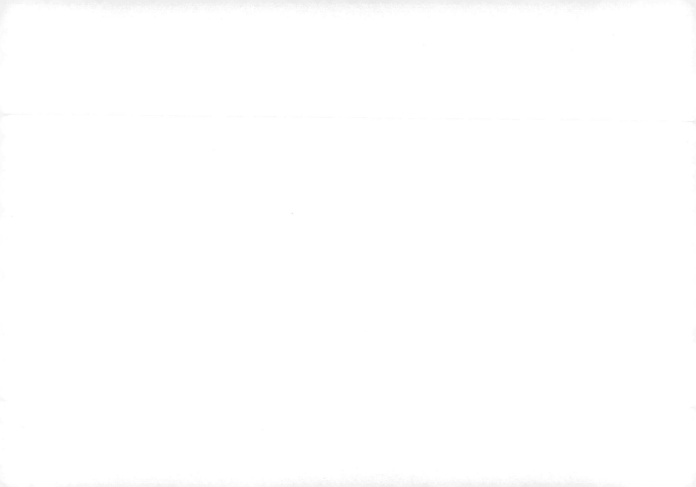

《菁英學院》作者後記

之所以會有《菁英學院》（Dans la cour des grands）這本漫畫書問世，不得不提那一趟一時興起到法國南特拜訪編輯的故事。法國出版社 Patayo Éditions 位在南特，法國第六大城市。出版社老闆也是我的編輯 Frédéric Fourreau 對 20 世紀初盛行的連環畫非常感興趣，於是開始出版了一系列現代法國版連環漫畫。

當時出版社編輯對於我提出以臺灣現代為背景的故事不太感興趣。反倒對我說了一句：「我很喜歡你平時畫新聞時事漫畫時，把許多政治人物都放進一幅畫中的模式。不如我們就把他們都丟進一間學校。看看這些大人物們成為『Sales Gosses』（臭小孩們）會做些什麼。」

也是因為如此，在取中文版書名時，對該更直接的意譯為「領袖學院」，還是帶點諷刺意味取名為「菁英學院」也討論了一番。

身為一位新聞時事漫畫家（有些人又稱之為政治漫畫家），我們工作的時間節奏通常很緊湊，新聞一出來就要趕緊開工。像是有次和朋友在家吃晚餐吃到一半，英國女皇伊莉莎白二世（Elizabeth II）過世消息一出來，我就和朋友說你該走了，我必須工作。

這樣快步調的工作流程，一般來說加上消化新聞資料的時間大約 3-4 小時間就能結束，有時我在飛機上、火車上都能工作。不過這與畫一本漫畫書就相差很遠，雖然這本書已經算是短篇漫畫，單頁也沒有分鏡。但我還是花了好幾個月的時間，從收集資料、想腳本如何讓「臭小孩們」彼此互動，又能融入近來發生的新聞或國際關係，到開始著手畫圖與最後要放進書中的文字內容。最難也是最有趣的部分其實是幫每個角色想名字，整本書的人名、學校名、老師名其實都是在玩法文的諧音！

不過，能畫這樣一本書，嘲笑各國總統、總理、領袖，也是因為身在法國與臺灣，這兩國言論、新聞自由都備受保障，讓作者不用抱著跟國家對立的危險作畫啊！還記得有一次在我所屬的法國政治漫畫協會 Cartooning for Peace 會長 Plantu（法國《世界報》前專任漫畫家）退休會上，他將我介紹給法國第一夫人碧姬・馬克宏（Brigitte Macron）。第一夫人得知我是臺灣政治漫畫家，問了我一句：「在臺灣畫這些漫畫是自由的嗎？」

我笑了一下回說，「當然囉，100%。」

陳筱涵

TOON 001

菁英學院
DANS LA COUR DES GRANDS

作者 陳筱涵 STELLINA CHEN

美術 / 手寫字 陳筱涵 STELLINA CHEN

譯者 詹文碩

封面設計 林佳瑩

內頁排版 藍天圖物宣字社

社長暨總編輯 湯皓全

出版 鯨嶼文化有限公司

地址 231 新北市新店區民權路 108-3 號 6 樓

電話 (02) 22181417

傳真 (02) 86672166

電子信箱 balaena.islet@bookrep.com.tw

發行 遠足文化事業股份有限公司【讀書共和國出版集團】

地址 231 新北市新店區民權路 108-2 號 9 樓

電話 (02) 22181417

傳真 (02) 86671065

電子信箱 service@bookrep.com.tw

客服專線 0800-221-029

法律顧問 華洋法律事務所 蘇文生律師

印刷 勁達印刷有限公司

初版 2024 年 2 月

定價 350 元

ISBN 978-626-7243-54-1

EISBN 978-626-7243-51-0 (PDF)

EISBN 978-626-7243-50-3 (EPUB)

Copyright © 2023, Patayo Editions

Complex Chinese edition published by agreement with Editions Patayo through
The Grayhawk Agency 版權所有 · 翻印必究

ALL RIGHTS RESERVED Printed in Taiwan

特別聲明：有關本書中的言論內容，不代表本公司 / 出版集團之立場與意見，文責由作者自行負擔